18-5-2005

Voor Alexander,

Omdat je de liefste mama van de hele wereld helt.

Liefs van Oom Roeland
Tante Yonna
nichtjes Laurau en Iris.

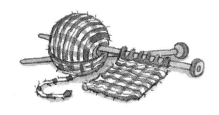

Voor Molly Melling
Bedankt mam

Oorspronkelijke titel: Just like my mum
Oorspronkelijke uitgever: © Hodder, Londen 2003
Nederlandse uitgave: © Zirkoon uitgevers, Amsterdam 2005
Tekst en illustraties: © David Melling 2002
Vertaling: Peter Molenaar
ISBN 90 5247 347 1
NUR 270
Gedrukt in Hong Kong
www.zirkoon.nl

Net als mijn mama

David Melling

Dit is mijn mama.

Ik ben 's morgens altijd vroeg wakker…

...net als mijn mama.

Ik g-a-a-p,

en g*rrr*om,

**en dan ben ik
klaar voor een
nieuwe dag…**

…net als mijn mama.

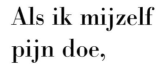
Als ik mijzelf
pijn doe,

of ruzie heb
met iemand,

of ziek ben…

...zorgt mama dat ik me beter voel.

En als ik heel
vervelend ben
geweest…

zeg ik 'sorry'...

...net als mijn mama.

Mijn moeder vindt het niet leuk
als ik me verveel.

Dan zegt ze:

'Waarom ga je niet iets doen?'

Maar áls ik dan iets ga doen,

zegt ze:

'Zit toch
eens vijf
minuten
stil!'

Mijn moeder helpt
me met knutselen.
Zij kan alles maken.

En haar spelletjes zijn zo leuk…

...dat *iedereen* mee wil doen!

Soms heb ik zelf ook
goede ideeën…

...maar dan zegt mama:

'Droge spelletjes zijn beter!'

Dat is typisch…

…mijn mama.

Het liefst speel ik
samen met mijn
vriendjes in de oude
kronkelboom.

Maar aan het einde van de
dag gaan we op zoek naar
een rustig, warm en knus
plekje bij iemand…

...als
mijn mama.

Andere boeken van David Melling:

De jacht op de nachtkus

Het verhaal van IJsvinger

Net als mijn papa